à Pauline, Maria, Erika, Jean-Claude, Jocelyne, Monika,
Géraldine, Marguerite, Karim, Sabrina, Claude, Anne,
Marianne, Julie, Marlène, Sandrine, Kim,
Véronique, Vincent, Pascal, Alexandra, Élisabeth, Sophie,
Marc, Lucie, Yasmina, Bernadette, Arlette, Dominique,
Ève, Thierry, Blanche, Léo, Marie-Claude,
Manon, Johanne, Maude, Vivianne, Hugo, Aurore,
Cécile, Mariette, Yanis, Flavie, Jamel,
Violaine, Rose, Tarek, Alice, Isabelle, Madeleine,
Naïm, Marie-Paule, Henriette, Abdul, Albertine, Isabelle,
Christine, Steve, Sophie, Esther, Andrée, Agnès, Ninon,
Anouschka, Éva, Jean, Léa, Marie-Pierre,
Eddy, Monique, Fabienne, Stéphanie, Michelle, Anouk,
Gabrielle, Cynthia, Mathilde, Joseph,
Amélie, Mariette, Sébastien, Noémie, Hélène, Ariane,
Jeanne, Sophie, Patrick, Audrey,
Chantal, Sylvie, Marlène, Véronique, Laure,
Janette, François...

Gilles Tibo a également écrit
pour les Éditions Nord-Sud:

Rouge Timide

© 2003 Éditions Nord-Sud, pour l'édition en langue française
© 2003 Nord-Sud Verlag AG, Gossau Zurich, Suisse
Tous droits réservés. Imprimé en Allemagne
Loi n° 49-956 du 16 juillet 1949 sur les publications destinées à la jeunesse
Dépot legal: 3ᵉ trimestre 2003
ISBN 3 314 21662 9

La petite fille
qui ne souriait plus

Une histoire de Gilles Tibo
illustrée par Zaü

Un livre Melinda Vörös aux Éditions Nord-Sud

Je m'appelle Lisa. Ma meilleure amie, c'est Pauline.
Elle connaît tous mes secrets. Sauf un.
Un terrible secret que je ne peux raconter à personne.

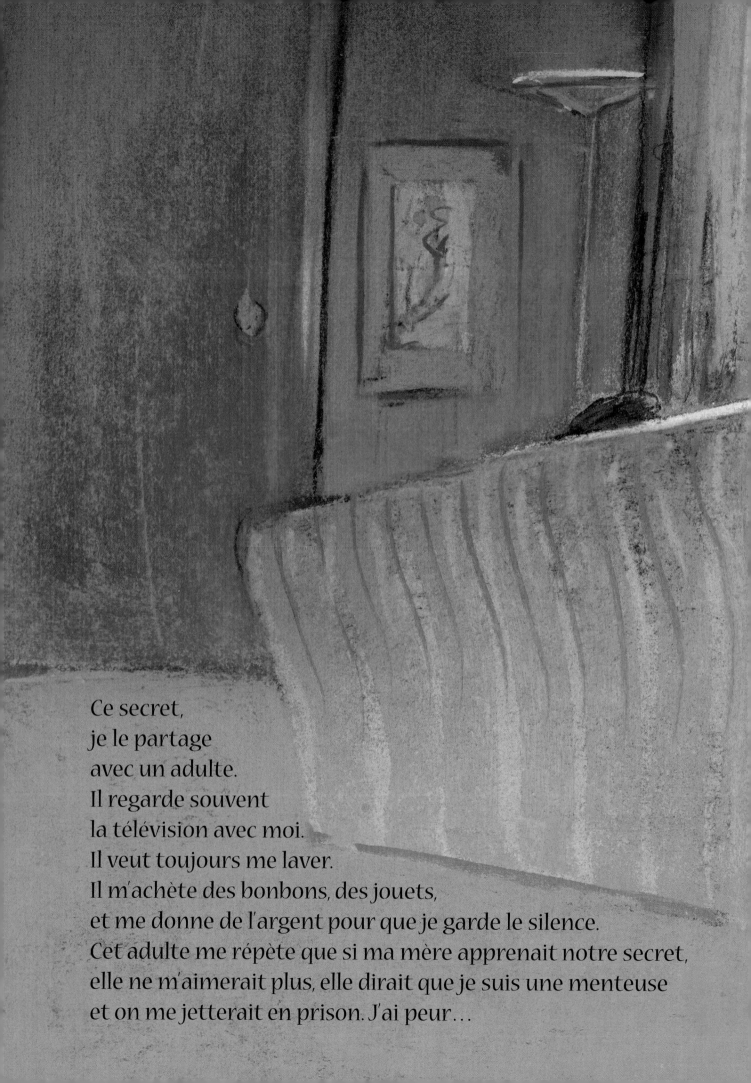

Ce secret,
je le partage
avec un adulte.
Il regarde souvent
la télévision avec moi.
Il veut toujours me laver.
Il m'achète des bonbons, des jouets,
et me donne de l'argent pour que je garde le silence.
Cet adulte me répète que si ma mère apprenait notre secret,
elle ne m'aimerait plus, elle dirait que je suis une menteuse
et on me jetterait en prison. J'ai peur…

Alors je ne dis rien.
Je ne parle presque plus. Je ne ris plus, je ne souris plus.
Ma mère me demande souvent:
«Est-ce que ça va, Lisa?»
Je ne réponds pas. J'ai peur que mon terrible secret
sorte de ma bouche. Je baisse la tête et je serre les dents.
Mon secret envahit tout mon corps. Il me bouche
les oreilles, je n'entends plus la musique. Il m'embrouille
les yeux, je ne lis plus mes livres. Il m'emplit le cœur,
je ne joue plus à rien.

Chaque nuit, je fais de terribles cauchemars. Je me réveille en sueu
Alors, j'ouvre la fenêtre de ma chambre. Je voudrais me jeter
sur le trottoir, et me casser comme une poupée de porcelaine.
Je me sens tellement sale à l'intérieur de moi, que je passe
des heures et des heures sous la douche.
Je voudrais changer de peau comme on change de vêtement.
J'aimerais redevenir belle et propre.
J'aimerais sourire comme avant… comme avant…

Les jours et les semaines passent.
Les notes de mon bulletin dégringolent.
Je n'ai plus envie de rien.
Pour oublier, je cours.
Je cours dans le parc, sur le trottoir,
        dans les couloirs de l'école…
            Mais je ne peux me sauver nulle part.
Mon secret se cramponne à mon ventre.

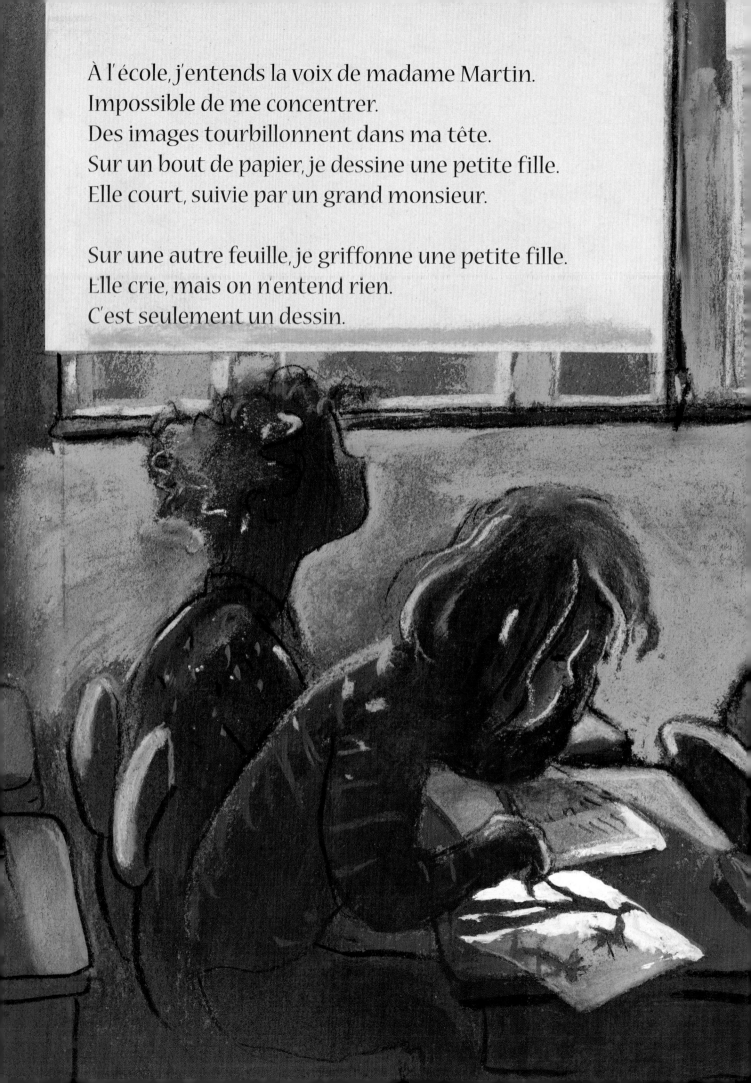

À l'école, j'entends la voix de madame Martin.
Impossible de me concentrer.
Des images tourbillonnent dans ma tête.
Sur un bout de papier, je dessine une petite fille.
Elle court, suivie par un grand monsieur.

Sur une autre feuille, je griffonne une petite fille.
Elle crie, mais on n'entend rien.
C'est seulement un dessin.

La cloche de la récréation sonne.
J'abandonne tout et je me sauve
dans la cour.
Pauline joue au ballon avec des copains.
Je m'assois dans le sable et je gribouille
une petite fille…
Madame Martin vient s'asseoir près de moi.
«Que fait la petite fille sur ton dessin, Lisa?»
«Elle… elle se sauve…»

«Connais-tu l'histoire de cette petite fille?»
demande madame Martin.
«Oui… Elle se réveille la nuit
parce que le plancher de sa maison craque.»
D'un coup de pied, j'efface la petite fille.
En tremblant, ma main dessine un grand monsieur.
«Et qui est ce monsieur?»
«C'est le nouvel amoureux de la maman… Souvent, la nuit,
il se lève… Il s'approche de la chambre de la petite fille…
Le plancher craque, craque, craque…
La petite fille se cache au fond de son lit…
Même en se bouchant les oreilles, elle entend les pas
qui approchent, qui approchent…»

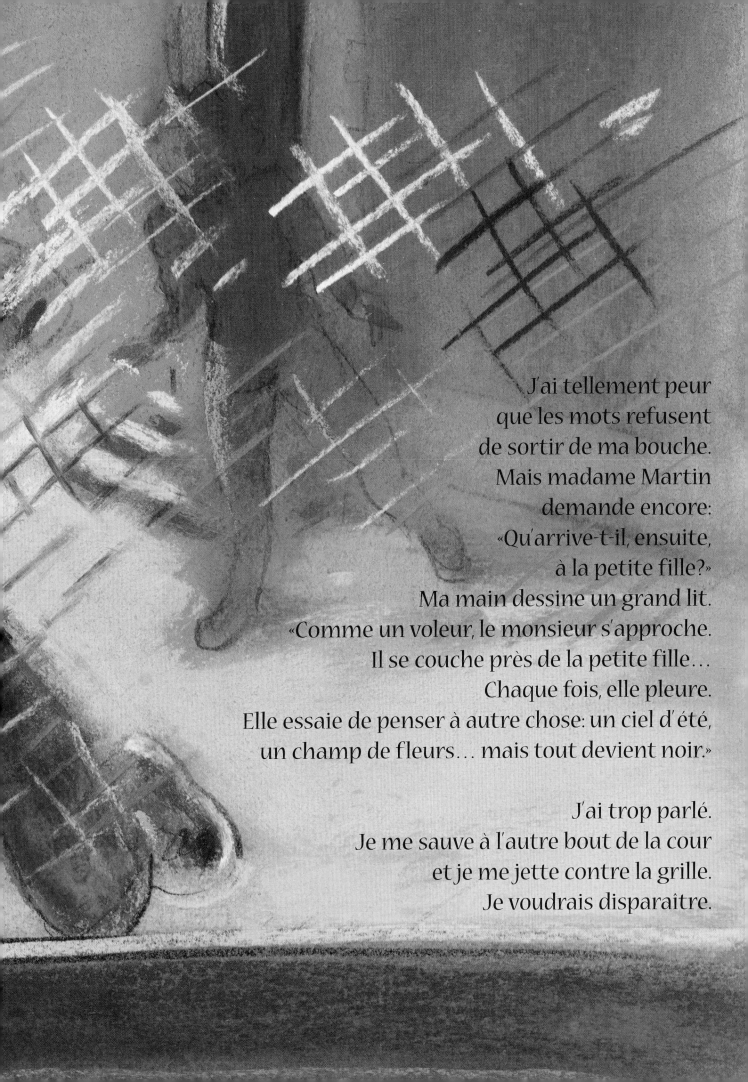

J'ai tellement peur
que les mots refusent
de sortir de ma bouche.
Mais madame Martin
demande encore:
«Qu'arrive-t-il, ensuite,
à la petite fille?»
Ma main dessine un grand lit.
«Comme un voleur, le monsieur s'approche.
Il se couche près de la petite fille…
Chaque fois, elle pleure.
Elle essaie de penser à autre chose: un ciel d'été,
un champ de fleurs… mais tout devient noir.»

J'ai trop parlé.
Je me sauve à l'autre bout de la cour
et je me jette contre la grille.
Je voudrais disparaître.

Madame Martin vient me rejoindre.
«Lisa, connais-tu la petite fille de ton histoire?»
En hésitant, je réponds un petit "oui".
«Est-ce que je lui tiens la main en ce moment?»
Je ne réponds pas. J'éclate en sanglots.
Madame Martin se penche et me serre dans ses bras.
Mes larmes coulent sur ses joues.

Entre deux reniflements, je demande:
«Est-ce que maman va encore m'aimer?»
«Bien sûr. On va tout lui expliquer.»
«Est-ce que je serai toujours malheureuse?»
«Non, Lisa. Il y a un soleil dans ton cœur
que personne ne peut te voler.»
«Est-ce que je vais aller en prison?»
«Mais non. Toi, tu n'es coupable de rien.»
Je répète dans ma tête: je ne suis coupable de rien…
Je ne suis coupable de rien… Je ne suis coupable de rien.

Madame Martin essuie mes joues.
Maintenant que j'ai partagé mon secret,
on dirait qu'il s'est cassé en deux.
Je vais enfin pouvoir le dire à maman.
Et peut-être à Pauline…
J'en parlerai, j'en parlerai, j'en parlerai,
jusqu'à ce qu'il se casse en dix mille morceaux…